Savais-tu?

Les Pieuvres

Savais-tu?

Les Pieuvres

Alain M. Bergeron
Michel Quintin
Sampar

Illustrations de Sampar

ÉDITIONS
MICHEL
QUINTIN

Catalogage avant publication de Bibliothèque et Archives
nationales du Québec et Bibliothèque et Archives Canada

Bergeron, Alain M.

Les pieuvres

(Savais-tu? ; 40)
Pour enfants de 7 ans et plus.

ISBN 978-2-89435-399-8

1. Poulpes - Ouvrages pour la jeunesse. 2. Poulpes - Ouvrages illustrés -
Ouvrages pour la jeunesse. I. Quintin, Michel. II. Sampar. III. Titre. IV.
Collection: Bergeron, Alain M. . Savais-tu? ; 40.

QL430.3.O2B47 2008   j594'.56   C2008-941442-X

Révision linguistique : Sylvie Lallier, Louise Melançon
Infographie : Marie-Ève Boisvert, Éd. Michel Quintin

 Le Conseil des Arts du Canada
The Canada Council for the Arts   Patrimoine   Canadian
canadien   Heritage

La publication de cet ouvrage a été réalisée grâce au
soutien financier du Conseil des Arts du Canada et de la
SODEC. De plus, les Éditions Michel Quintin bénéficient de
l'aide financière du gouvernement du Canada par l'entremise
du Programme d'aide au développement de l'industrie de
l'édition (PADIÉ) pour leurs activités d'édition.

Gouvernement du Québec – Programme de crédit d'impôt
pour l'édition de livres – Gestion SODEC

ISBN 978-2-89435-399-8
Dépôt légal - Bibliothèque et Archives nationales du Québec, 2008
Dépôt légal - Bibliothèque et Archives Canada, 2008

Éditions Michel Quintin
C.P. 340, Waterloo (Québec)
Canada J0E 2N0
Tél.:   450 539-3774
Téléc.: 450 539-4905
editionsmichelquintin.ca

0 8 - M L - 3

Imprimé au Canada

Savais-tu que les pieuvres sont des animaux très discrets et essentiellement solitaires? Plutôt sédentaires, celles qu'on appelle aussi poulpes vivent dans le fond des mers du monde entier.

Savais-tu que, même si elles sont dépourvues de coquille, les pieuvres sont des mollusques tout comme les escargots, les huîtres et les coquilles Saint-Jacques?

Savais-tu qu'avec les calmars et les seiches, elles font partie de la classe des céphalopodes qui signifie « tête munie de pieds »? Ce groupe de mollusques est le plus évolué.

Savais-tu que les pieuvres possèdent 8 tentacules et que chacun est garni de ventouses en forme de coupe qui travaillent indépendamment les unes des autres? C'est à l'aide de leurs tentacules que les pieuvres se déplacent, chassent et mangent.

Savais-tu que les meilleurs haltérophiles peuvent soulever environ 3 fois leur poids tandis qu'une pieuvre de taille moyenne peut tirer une charge de 20 fois supérieure au sien?

Savais-tu que les tentacules de la pieuvre entourent sa bouche munie d'un bec coupant? On donne le nom de bec à ces puissantes mandibules semblables à un bec de perroquet.

Savais-tu que la langue des pieuvres, qu'on appelle radula, est munie de nombreuses dents acérées? Elles l'utilisent pour râper leur nourriture en faisant des mouvements de va-et-vient.

Savais-tu que les pieuvres sont de redoutables prédateurs? Elles chassent à l'affût dans des cavernes sous-marines, dans des failles de rochers et parmi le corail, au fond de la mer.

Savais-tu que ces carnivores se nourrissent de crustacés, de mollusques (dont d'autres pieuvres) et de poissons? Dotée d'un très grand appétit, une pieuvre peut doubler de poids tous les 3 mois.

Savais-tu que la plupart des pieuvres paralysent leurs proies grâce à la salive toxique qu'elles leur injectent lors d'une morsure?

Savais-tu que les toutes petites pieuvres à anneaux bleus
sont parmi les animaux les plus venimeux au monde? Leur
poison est si puissant qu'une seule morsure contenant une

infime quantité de venin peut tuer un homme par arrêt
respiratoire en 2 heures.

Savais-tu que certaines pieuvres adultes mesurent moins de 5 centimètres? En moyenne, les espèces pèsent de 1,5 à 4 kilogrammes et ont de 50 centimètres à 1 mètre d'envergure

(l'envergure est la distance entre l'extrémité de 2 tentacules diamétralement opposés).

Savais-tu qu'on a déjà observé une pieuvre géante du Pacifique pesant 70 kilogrammes avec une envergure de plus de 7,5 mètres?

Savais-tu que les pieuvres n'ont pas de squelette? Hormis leur bec et la capsule cartilagineuse qui protège leur cerveau, leur corps est complètement mou.

Savais-tu qu'elles peuvent apprendre rapidement, mémoriser de nombreuses choses et même associer une forme à une sensation? Leur capacité de résolution de problèmes est

étonnante, et placées devant un bocal fermé, elles sont capables d'en dévisser le couvercle pour atteindre la nourriture qui s'y trouve.

Savais-tu que, véritables caméléons des mers, les pieuvres changent de couleurs selon leur humeur? En effet, en état d'excitation, les chromatophores, ces millions de cellules

colorées de leur peau, se contractent ou se dilatent, provoquant un changement de couleur instantané.

Savais-tu que les pieuvres ajustent non seulement la couleur de leur peau, mais aussi les motifs (points, rayures, anneaux) et la texture de celle-ci? Elles peuvent, par exemple, changer

en un éclair leur peau lisse en la couvrant de petites cornes ou de petites bosses et se confondre ainsi avec les fonds marins.

Savais-tu que plusieurs espèces de pieuvres imitent la couleur, la posture et le comportement d'animaux dangereux tels le serpent marin et le poisson-lion? Cette extraordinaire faculté mimétique fait fuir certains de leurs prédateurs.

Savais-tu que les pieuvres sont capables de s'amputer d'un tentacule? Elles espèrent ainsi distraire et déstabiliser leurs prédateurs grâce au membre qui, une fois tombé, se tortille

au fond de l'eau. Au bout d'un certain temps, un nouveau tentacule parfaitement fonctionnel repoussera.

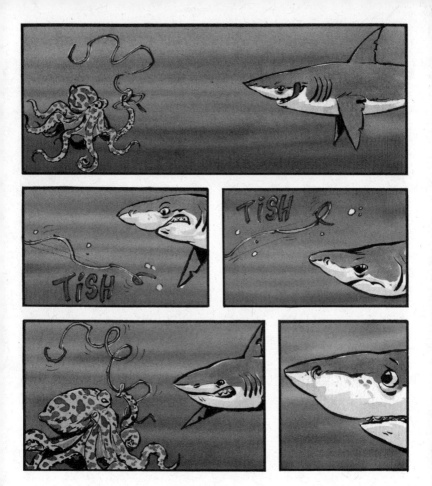

Savais-tu qu'une très petite pieuvre australienne utilise des tentacules urticants qui ne lui appartiennent pas pour menacer ses prédateurs? Elle vole en effet ces tentacules

très venimeux à une espèce de méduse de l'Atlantique et elle s'en sert pour se défendre.

Savais-tu que les pieuvres ont le sang bleu? Cela parce que c'est de l'hémocyanine qui transporte l'oxygène dans leur sang et non de l'hémoglobine comme chez les vertébrés.

Savais-tu que pour se déplacer rapidement, les pieuvres utilisent la propulsion à réaction? C'est en expulsant l'eau de leur siphon en forme d'entonnoir qu'elles parviennent à filer comme l'éclair.

Savais-tu que lorsqu'elles se déplacent par propulsion à réaction, elles peuvent changer de direction à leur gré en orientant leur siphon très mobile?

Savais-tu que pour semer leurs prédateurs, la plupart des pieuvres déguerpissent en expulsant un épais nuage d'encre noirâtre? Certaines espèces peuvent répéter ce stratagème plusieurs fois si nécessaire.

Savais-tu qu'en plus de surprendre l'assaillant, l'encre ainsi projetée par la pieuvre neutralisera l'odorat du prédateur, l'empêchant ainsi de la retracer?

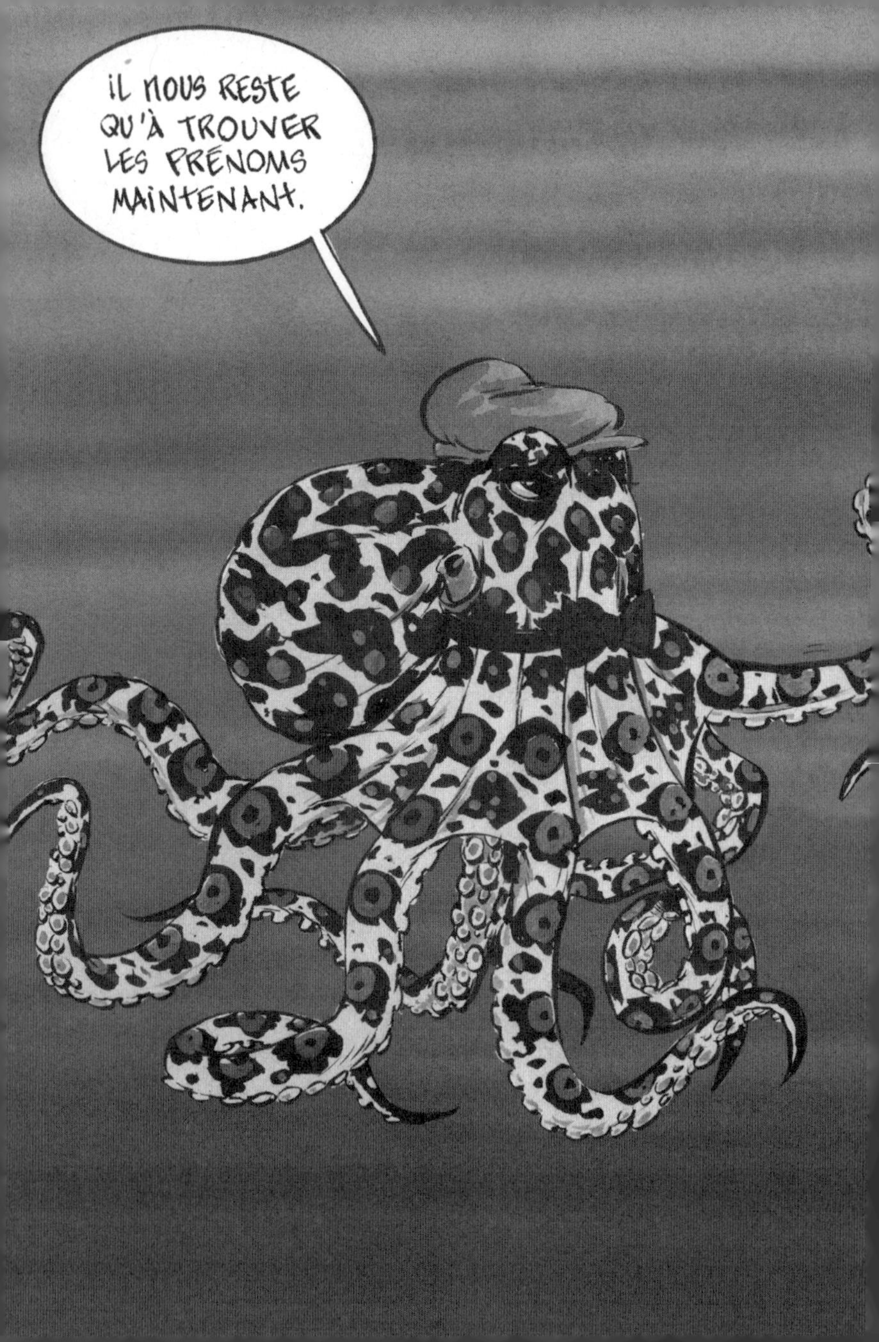
IL NOUS RESTE QU'À TROUVER LES PRÉNOMS MAINTENANT.

Savais-tu que les mâles fécondent les femelles avec des
poches de sperme appelées spermatophores? Ils saisissent
ces spermatophores avec un tentacule et les introduisent
directement à l'intérieur de la femelle.

Savais-tu que selon l'espèce, les femelles peuvent pondre jusqu'à un demi-million d'œufs? C'est en grappes qu'elles les fixent au plafond de leur abri.

Savais-tu que pendant l'incubation, qui dure jusqu'à 6 mois chez certaines espèces, les femelles cessent de se nourrir et consacrent tout leur temps à nettoyer et à surveiller leurs œufs?

Savais-tu que les femelles meurent d'épuisement peu de temps après l'éclosion? Les petits qui, quant à eux, ressemblent en tout point aux adultes, sont autonomes dès leur naissance.

PROTÉGEONS
NOS FORÊTS

100%